이름 바꿔줘!

첫째판 1쇄 인쇄 | 2015년 1월 5일
첫째판 1쇄 발행 | 2015년 1월 15일

지 은 이   무로이 시게루
발 행 인   장주연
출 판 기 획   최유리
편집디자인   한시대
표지디자인   전선아
발 행 처   글로북스
등   록   제 406-2013-000109호(2013. 10. 24)
주   소   경기도 파주시 한빛로 70
전   화   (02) 762-9197 팩스 (02) 764-0209

Text copyright ⓒ SHIGERU MUROI 2011
Illustrations copyright ⓒ YOSHIFUMI HASEGAWA 2011
First published in Japan in 2011 under the title

"SHIGE-CHAN"

All rights reserved.
by KIN-NO-HOSHI SHA Co., Ltd.
Korean translation rights arranged with
KIN-NO-HOSHI SHA Co., Ltd. through
SHINWON AGENCY

ISBN 978-89-6278-922-5

정가 10,000원

이름 바꿔 줘!

글 무로이 시게루 · 그림 하세가와 요시후미

나, 김성훈. 반짝반짝 빛나는 초등학교 1학년.

유치원보다 초등학교가 집에서 더 가까워.
그래서 한 걸음에 갈 수 있다고 신나서 들떠 있었는데,
입학식 날, 그만 황당한 일이 벌어지고 말았지.

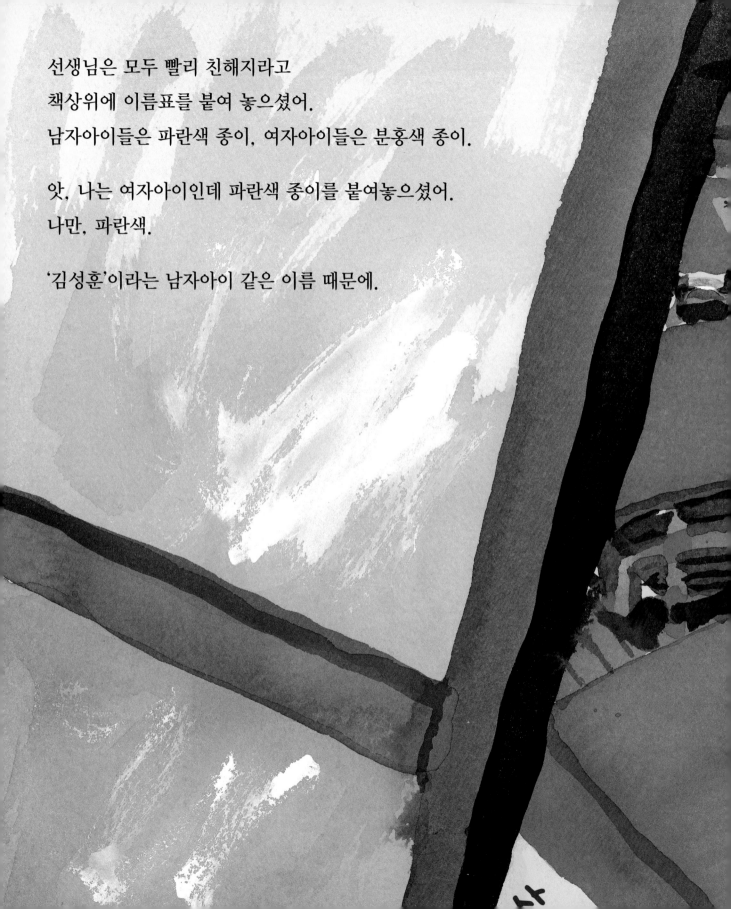

선생님은 모두 빨리 친해지라고
책상위에 이름표를 붙여 놓으셨어.
남자아이들은 파란색 종이, 여자아이들은 분홍색 종이.

앗, 나는 여자아이인데 파란색 종이를 붙여놓으셨어.
나만, 파란색.

'김성훈'이라는 남자아이 같은 이름 때문에.

친구들이 알기 전 빨리 선생님께 가서
분홍색 종이로 바꾸려는 순간
아차, 늦어버렸어.

짝꿍이 된 남자아이가
파란색 종이를 보고 울음보를 터트렸거든.

"내, 내, 내 옆에만 남자야! 모두 여자 짝인데!!"

'진짜 울고 싶은 사람은 나란 말이야!'
하지만 나는 꾹 참고 자리에 앉았어.

그랬더니 울보는
눈은 휘둥그레, 입은 쩍!
파란색 종이와 내 얼굴을 번갈아 쳐다보기만 했어.

어쩔 수 없는 걸. 내 이름은 남자아이 이름인데.
이제 이런 일에는 익숙해.

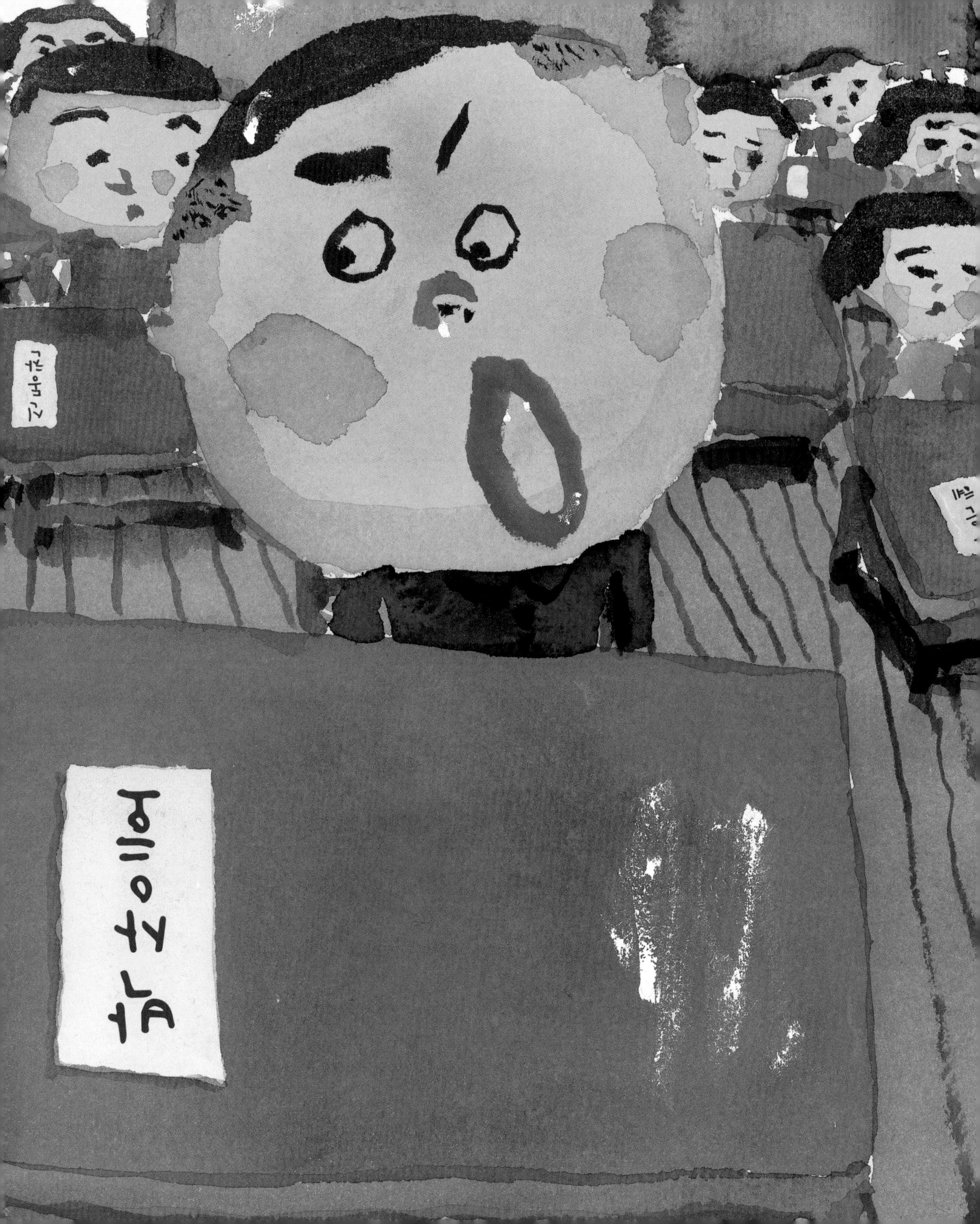
선생님

나는 '김성훈'이라는 남자 아이 같은 이름 때문에,
늘 황당한 일을 당해.

요전에도 친구 집에 놀러 갔을 때,
친구오빠가 깔깔대며 웃었다니까.

"너, 이 노래 알아?
♪미루나무 꼭대기에 미루나무 꼭대기에
성훈이 팬티가 걸려있네 솔바람이 몰고 와서 살짝 걸쳐놓고 갔어요♪."

3학년인 오빠는 음악 시간에
'흰 구름'이란 노래를 배운 모양이야.

원래는
「♪미루나무 꼭대기에 조각구름 걸려있네
솔바람이 몰고 와서 살짝 걸쳐놓고 갔어요♪」라는 노래인데.

오빠네 반에 '진성훈'이라는 남자아이가 있는데,
그 애가 구구단을 제대로 외우지 못해서
가사만 바꿨다나?

모두가 놀리다니, 너무해!

나는 3학년인 '성훈'이가
어떤 남자아이인지 보고 싶지는 않지만,
조금 불쌍하다고 생각했어.

같은 이름인 나도 놀리려나?
아, 싫다, 싫어….

그래서 나는 여자 아이 같은 이름을 생각해보았어.

공책에 '성훈'이라고 쓰고 나서,
지우개로 '성' 아래에 'ㅇ'과 '훈' 위의 'ㅗ'를 지웠어.

'서운'

이건 어때?
조금 여자애 이름 같나?

아냐, 안돼 !
이름을 들으면 모두 섭섭해 할 거 같잖아!

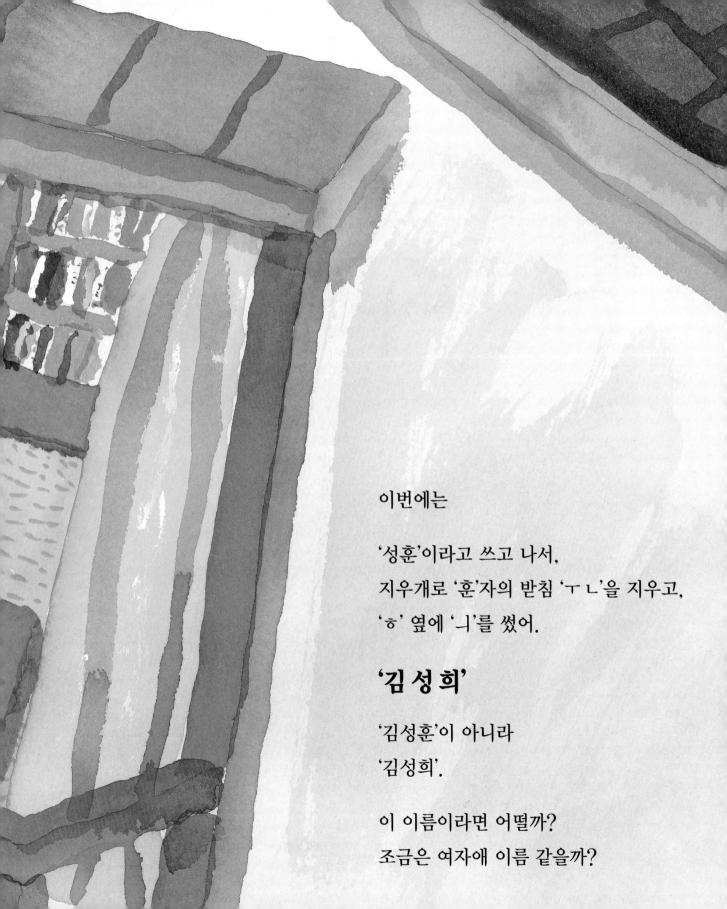

이번에는

'성훈'이라고 쓰고 나서,
지우개로 '훈'자의 받침 'ㅜㄴ'을 지우고,
'ㅎ' 옆에 'ㅢ'를 썼어.

'김 성 희'

'김성훈'이 아니라
'김성희'.

이 이름이라면 어떨까?
조금은 여자애 이름 같을까?

역시… 아니야.

그리고 나서 연필로 이름을 전부
새까맣게 칠해 버렸어.

힘을 너무 준 탓인지
연필심은 '뚝!'하고 부러져 버렸지.

초등학교에 들어가면,
많은 친구들을 사귀고 싶었는데….

'김성훈'이라는 이름은 아무도 좋아하지 않을 거 같아.

엄마한테 부탁해 볼까….

"있잖아, 엄마, 나 내 이름, 싫어!
좀 더 예쁜 이름으로 바꿔줘!"

엄마는 힐끗 쳐다보시더니, 머리를 옆으로 흔드셨어.
조금 무서운 얼굴.

"무슨 소리야, 귀한 이름을.
성훈이는 태어날 때부터 쭉
'성훈'이였는 걸, 바꿀 수가 없어."

아이가 태어나면
이름과 함께 출생신고를 하게 되고,
한 번 신고를 하면
두 번 다시 바꿀 수가 없다고,
엄마는 단호하게 말씀하셨어.

나는 풀이 팍 죽었어.

조금만 참으면 이름정도는 쉽게 바꿀 수 있을 거라 생각했었는데….
언젠가 이름 같은 것 바꿀 수 있겠지 라고 생각했는데.
중학생이 되거나, 어른이 되면….

그 때는 윤서라든가 지은, 혜주 같은 이름이
좋겠다고 생각하고 있었는데….

'성훈이라는 이름은 불쌍해'라고 말하는 여자아이들과
소꿉놀이를 할 때에는 난 꼭 이름을 바꿔 부르라고 얘기해.

「오늘은 지은이 엄마라고 해줘」라든가,
「지금부터 나를 윤서라고 불러 줘」라든가….

난 내 이름이 싫은데, 그래서 새 이름도 짓고 있었는데….
결국 울음보가 터지고 말았어.

그러자 엄마는 날 다정히 안아주시며 이야기 해주셨지.

"성훈아, 엄마 아빠가 아이에게 이름을 지을 때는 말이지,
얼마나 정성을 들이는지 몰라.
평생 동안 그 이름으로 쭉 살아가야 하니까,
절대 후회하지 않을 이름으로 지어야겠지?
엄마도, 아빠도,
아기가 가장 행복해질 수 있는 이름으로
짓는 거란다."

엄마는 나를 바라보며 다정하게 웃으셨어.
그리고 내가 몰랐던 이야기를 하나 더 해주셨어.

"성훈아. 원래 성훈이는 오빠가 있었어.
그런데 몸이 너무 약한 둘째 오빠는 네가 태어나기 전 하늘 나라로 갔단다.

성훈이라는 이름은,
성공(成功)의 **성(成)**자와 훈장(勳章)의 **훈(勳)**이라는 뜻으로,

성훈이가 오빠 몫까지
엄마와 아빠 옆에서 훌륭하게 커달라는 의미가 담겨있단다."

나는 오빠 얘기와, 내 이름에 소원이 담겨져 있다는 얘기를 듣고,
'헤에~! 그렇구나'라고, 비로소 받아들이기로 했어.
그리고 '성훈'이라는 이름을 싫어하는 마음이 조금은 없어졌지.

장래 예쁜 신부가 되어도 내 본명은 절대로 바뀌지 않을 테니까,
'성훈'이란 이름을 더욱 더, 더욱 더
좋아해야겠다고 생각했지.

후기

어른이 된 나는 여배우라는 직업을 가지고 있습니다.

여배우는 「예명(藝名)」이라는 다른 이름을 지어도 됩니다.

하지만 웬일인지, 『시게루』라는 이름을 그대로 사용하고 있습니다!

예명을 지으려고 여러 가지 생각해 봤지만,

어느 이름도 내게 어울리지 않는다는 것을 깨달았기 때문입니다.

이제, 엄마도 아빠도 이 세상에는 계시지 않지만,

결국, 부모님께 물려받은 이름이 가장 좋았던 것이지요.

[작가] **室井滋** (무로이 시게루)

도야마(富山)현에서 태어 났습니다. 와세다대학 재학 중에 『바람의 노래를 들어라』(1981년)로 스크린에 데뷔하고 영화 『선술집 유령』, 『노래자랑』, 『OUT』, 『비욘의 아내』 등으로 영화상을 다수 수상했습니다. 에세이작가이기도 하며, 저서에 『쌩얼혼대전 적만쥬/백만쥬』, 『마킹 블루스』 등이 있습니다. 또 디즈니영화 『니모를 찾아서』에서 '도리'의 일본어더빙과 NHK 엔터프라이즈발행의 DVD 『왜? 어째서?』의 리라 목소리로 인기를 얻었고 본서가 그림책 원작의 데뷔입니다.

[화가] **長谷川義史** (하세가와 요시후미)

1961년, 오사카에서 태어 났습니다. 그래픽디자이너를 거쳐서 일러스트레이터로 그림책이나 아동도서를 중심으로 활약중입니다. 『배짱할머니의 죽』으로 제34회 고단샤(講談社) 출판 문화상 그림책상, 『엄마괴물』로 제14회 켄부치그림책 대상, 『내가 라면을 먹을 때』로 일본 그림책상과 제57회 소학관 아동출판문화상을 수상했습니다. 『유치원에 가기싫어!』, 『배꼽 구멍』, 『괜찮아요 괜찮아』시리즈, 『엄마가 만들었어』 등, 여러 다른 작품들이 있습니다.